D0717361

Wiosna

Misia Uszatka

Czesław Janczarski

Wiosna Misia Uszatka

Ilustrował Zbigniew Rychlicki

Nasza Księgarnia

Projekt okładki **Agnieszka Czubaszek**

W sklepie z zabawkami

Był sobie sklep z zabawkami. W sklepie na półce stały i siedziały pluszowe misie.

Między nimi był jeden Miś, który już bardzo długo siedział na półce.

Inne misie wędrowały do rąk dzieci. Wychodziły z nimi uśmiechnięte ze sklepu. A o tego Misia nikt nie pytał. Może dlatego, że stał w kąciku.

Martwił się Miś coraz bardziej, że nie może bawić się z dziećmi. Z tego zmartwienia oklapło mu jedno uszko.

– To nic – pocieszał się niedźwiadek. – Teraz, jak bajka wpadnie mi jednym uchem, to nie ucieknie drugim, bo ją to oklapnięte zatrzyma.

Pewnego razu Miś znalazł na półce czerwony parasol. Chwycił go w łapki i odważnie skoczył z półki na podłogę. Potem wyszedł ze sklepu na ulicę. Trochę się najpierw przestraszył, bo na ulicy było dużo ludzi. Ale naraz zobaczył dwoje dzieci, Zosię i Jacka.

I od razu przestał się bać. Dzieci uśmiechnęły się do Misia. Ach, jaki to był miły uśmiech!

– Kogo szukasz, Misiu? – zapytały.

– Szukam dzieci.

– To chodź z nami.

– Dobrze! – ucieszył się niedźwiadek.

I poszli razem.

Przyjaciele

Przed domem, w którym mieszkali Jacek i Zosia, było podwórko. Najważniejszą osobą na podwórku był piesek Kruczek.

A drugą po nim – czerwonopióry Kogucik.

Miś wyszedł z domu na podwórko. Zaraz też podbiegł do niego Kruczek. Po chwili zbliżył się Kogucik.

– Dzień dobry! – powiedział niedźwiadek.

– Dzień dobry! – odpowiedzieli. – Widzieliśmy, jak przyszedłeś tu z Zosią i Jackiem. Dlaczego masz opuszczone uszko? Jak się nazywasz?

Opowiedział Miś, dlaczego oklapło mu uszko. I zmartwił się, że nie ma imienia.

– Nie martw się – pocieszał go Kruczek – bo oklapnie ci drugie uszko. Będziemy ciebie nazywać Uszatek. Miś Uszatek. Zgoda?

Niedźwiadkowi bardzo podobało się to imię. Klasnął w łapki i zawołał:

– Od dziś nazywam się Miś Uszatek!

– A teraz poznasz, Misiu, Zajączka.

Zajączek skubał siano.

Najpierw zobaczył Miś długie uszy. A potem śmiesznie poruszający się pyszczek. Zajączek przestraszył się Misia, dał susa i znikł za parkanem.

Po chwili wrócił zawstydzony.

– Niepotrzebnie się zląkłeś, Zajączku – powiedział Kruczek.
– Przedstawiamy ci naszego nowego przyjaciela. Nazywa się
Miś Uszatek.

Uszatek patrzył na wspaniałe uszy Zajączka i myślał z żalem
o swoim oklapniętym uszku.

A wtedy Zajączek powiedział:

– Jakie ty masz ładne, oklapnięte uszko, Misiu...

List od Bociana

Wielka niespodzianka spotkała dziś Uszatka.

Przyszedł z rana listonosz.

– Czy tu mieszka Miś Uszatek? – zapytał.

Niedźwiadek właśnie kończył jeść śniadanie. Odwrócił się szybko na krzesełku. Łyżeczka wysunęła się mu z łapki i upadła na podłogę.

Listonosz powiedział:

– Podnieś łyżeczkę, Misiu, i uśmiechnij się. Przyniosłem dla ciebie bardzo miły liścik z Ciepłych Krajów od pana Bociana.

Wyjął listonosz z torby kolorową pocztówkę i wręczył ją niedźwiadkowi.

– Dziękuję... – szepnął Miś i natychmiast wybiegł na podwórko.

– Zajączku, Koguciku, Kruczku! – zawołał.

Nadbiegli przyjaciele.

– Co się stało? Co się stało?

– Posłuchajcie... – powiedział tajemniczo Uszatek i przeczytał list:

Kochany Uszatku! Wróbelki napisały do mnie, że mieszkasz na naszym podwórku. Bardzo chciałbym Ciebie poznać. Za kilka dni przylecę do Was z Ciepłych Krajów. Ładnie tu jest i dobrze mi tu. Tęsknię jednak do swojego gniazda. Wysyłam Ci kolorową fotografię, którą zrobił mi pewien podróżnik. Stoję pod palmą kokosową. Na palmie siedzi małpka. A tam dalej stoi wielbłąd. Pozdrów Jacka, Zosię, Kruczka, Kogucika i Zajączka.

Całuję Ciebie.

Bocian Długonogi

13

Długo przyglądali się przyjaciele fotografii. Miś powiedział:

– Mówię wam: dostaniemy na pewno od Bociana w podarunku orzech kokosowy albo banany.

Banany

Miś Uszatek wyszedł z rana na przechadzkę.

Podbiegł do Misia Kruczek.

— Spójrz — powiedział. — Tam coś leci! Czy widzisz?

Miś spojrzał we wskazanym kierunku.

— Tak, widzę... To chyba samoloty. Jest ich bardzo dużo.

— Raz, dwa, trzy, cztery, pięć... — liczył Kruczek.

— O, jeden oderwał się od innych i leci wprost na nas! Jest coraz bliżej!

— Może się zepsuł i spada... — przestraszył się Uszatek.

Za chwilę zatrzepotały nad ścieżką wielkie skrzydła. Uszatek i Kruczek zamarli z przerażenia.

— To Długonogi! — zawołali z ulgą, gdy Bocian wylądował na ścieżce.

Długonogi zdjął ciężki plecak i serdecznie przywitał się z Misiem i Kruczkiem.

– Oto upominek – powiedział, wręczając im po kilka bananów.

Po chwili zapytał:

– A może wiesz, Uszatku, jak się czują żabki? Czy zdrowe?

Ale Misia już nie było. Biegł z bananami w kierunku domu.

– Uszatku, straszny z ciebie łakomczuch, zapomniałeś nawet podziękować! – zawołał za nim Długonogi.

17

Wiosenny dzwonek

Uszatek i Pluszowy Króliczek szli polną drogą. Ciepły, wiosenny wiatr pędził po niebie chmurki.

Naraz Miś przystanął.

– Czy słyszysz, Króliczku? – zapytał szeptem.

– Co? – zdziwił się Króliczek.

– Tam w górze dzwoni dzwoneczek. Jakby go kto zawiesił na chmurze...

Przyjaciele przysłuchiwali się przez chwilę. A potem Króliczek szepnął:

– Jak ślicznie dzwoni! Pewnie jest cały ze srebra albo ze złota. Żeby tylko nie spadł...

Gdy Króliczek wypowiedział te słowa, dzwonienie stawało się coraz głośniejsze, coraz bliższe. Wtem przyjaciele zobaczyli szarą kulkę, która szybko spadała z góry.

– Dzwoneczek spada – przestraszył się Miś.

Szara kulka dzwoniła pięknie. I spadała, spadała, aż spadła w zieloną oziminę. O kilka kroków od przyjaciół. Wtedy przestała dzwonić.

– Ach, pewnie się dzwoneczek potłukł!... – zmartwili się przyjaciele.

Cicho zbliżyli się do tego miejsca, gdzie spadła kulka. Zobaczyli ptaszka. Zdziwili się bardzo.

– Kto ty jesteś? – zapytał Miś.

A ptaszek odpowiedział:

– Jestem skowronek, wiosenny dzwonek.

– To ty nie jesteś ani srebrny, ani złoty? – dziwił się Króliczek.

– Nie – powiedział skromnie ptaszek – jestem zwyczajny, szary.

Kotki, które nie mruczą

– Pokażę wam kotki, które nie mruczą i nie łapią myszek! – zawołał Pajacyk Bimbambom.

– Ojej! – ucieszył się Miś. – Pokaż koniecznie!

– I ja pójdę z wami – poprosiła Ania.

Niedaleko przedszkola, nad strumykiem, rosły drzewa. Tam poprowadził Pajacyk Anię i Misia. Gałęzie drzew zwisały nisko nad ziemią.

— Tu są te kotki – powiedział Bimbambom.

Miś rozejrzał się dokoła ze zdziwieniem.

— Nie widzę ich... – szepnął.

Pajacyk się uśmiechnął.

— Spójrz na drzewa. To są wierzby. Na wierzbowych gałęziach siedzą małe, bure kotki.

— Widzę, widzę! – zawołał Uszatek.

Gałązki usiane były puszystymi, szarymi kulkami.

Ania ułamała kilka najpiękniejszych gałązek. Cała gromadka wróciła do przedszkola.

Pięknie wyglądały gałązki wierzbowe w glinianym dzbanie. Od razu weselej zrobiło się w przedszkolu.

A Miś Uszatek powiedział do dzieci:

— To są kotki, które nie mruczą i nie łapią myszek... Wierzbowe kotki.

Ciasto ucieka

Lala i Róża pieką świąteczny placek. Nie żałują rodzynków i migdałów. A jakich do ciasta dodały zapachów! Aż w nosku kręci!

Wyrobione ciasto leży w dużej glinianej misie. Pochylają się nad nią laleczki. A Pluszowy Króliczek stanął słupka. Chciałby też zobaczyć, co tam jest w tej misce.

– Teraz ciasto będzie rosło – powiedziały laleczki. – Żeby nam tylko nie uciekło...

„Oj, żeby nie uciekło!" – pomyślał Uszatek. I oblizał się, myśląc o smacznym placku.

Lala i Róża wyszły z Pajacykiem na spacer. Miś siadł przy misce. Pilnuje ciasta. Kiwnęła mu się główka raz i drugi i – Uszatek usnął.

Ale naraz zbudził go pisk Pluszowego Króliczka:

– Ciasto ucieka!

Zerwał się Miś na równe nogi, spojrzał na uchylone drzwi i wybiegł na dwór z okrzykiem:

– Trzymaj, łapaj! Ciasto ucieka!

Długo biegał po polu, ale nigdzie nie zobaczył uciekającego ciasta.

A kiedy wrócił do domu zmartwiony niepowodzeniem, placek już był gotowy.

Śmiały się z Misia laleczki, śmiał się Pajacyk Bimbambom.

Ale niedźwiadek tym się nie przejmował. Kiedy zasiadł przy świątecznym stole, zajadał placek z wielkim apetytem.

Śmigus-dyngus

– Dziś jest śmigus-dyngus! – przypomniał sobie Miś.

Zobaczył Kruczka śpiącego przed budką. „Trzeba go oblać wodą" – pomyślał.

Pobiegł Miś do Jacka i Zosi. Stuk-puk do drzwi.

– Jacku, Zosiu, dajcie mi wiaderko! Zrobimy Kruczkowi śmigus-dyngus!

Przyniósł Jacek zielone wiaderko i wszyscy pobiegli do studni na podwórku.

Pryska chłodna, srebrzysta woda.

A teraz – do Kruczka!

Dzieci biegną przodem, a za nimi Miś z wiaderkiem.

Już są wszyscy przy budce Kruczka.

Chlust!

Co to się stało? W wiaderku nie ma wody?

Wsadził Miś nos do wiaderka. A tam w środku błyska dziurka – jak gwiazdka na ciemnym niebie.

Kruczek nawet się nie obudził.

Upiekł mu się śmigus-dyngus!

Czerwony samochodzik

W garażu pod krzesłem stał czerwony samochodzik.

Od rana majstrowali przy nim Miś i Bimbambom.

– Już samochodzik jest nakręcony – powiedział Pajacyk.

Uszatek usiadł przy kierownicy. A za nim laleczki – Róża i Lala.

Naraz samochodzik ruszył. Przez otwarte drzwi wyjechał z domu. Pomknął przez ulice.

– Stój, stój, Uszatku! – zawołały przerażone laleczki.

Ale Miś nie umiał zatrzymać samochodziku.

Bimbambom i Pluszowy Króliczek, którzy biegli za samochodzikiem, pozostali daleko w tyle.

Spod kół pryskało błoto. Z wielkim krzykiem uciekały przerażone gęsi i kury. A samochodzik z wielką szybkością zbliżał się do kałuży.

Laleczki zawołały:

– Katastrofa!

Już kałuża jest o dwa kroki, już o krok... Miś zamknął oczy.

Wtem samochodzik stanął. – Wrrr... wrrr... – zawarczał jeszcze dwa razy i ucichł.

Miś powoli otworzył oczy. Otarł z nosa kropelki zimnego potu.

Przednie koła samochodziku zanurzone były w wodzie. Niewiele brakowało, a cała trójka skąpałaby się w zimnej kałuży.

Miś wracał do domu ze spuszczoną głową i ciągnął samochodzik na sznurku.

Czyja to zasługa?

Lalka Róża powiedziała do Uszatka:

– Misiu, ty jesteś najsilniejszy z nas, będziesz więc kopał grządki.

I Uszatek zabrał się żwawo do pracy. Skopał szpadelkiem grządkę pod oknem Ani.

A potem Lala i Róża zasiały sałatę i rzodkiewkę. Wszyscy pracowali, tylko Pluszowy Króliczek nie miał żadnej roboty. Kręcił się tu i tam, skakał i wydawało mu się, że jest bardzo zajęty.

Minęło dużo dni. Padały ciepłe deszcze, grzało słonko. Uszatek co dzień podziwiał roślinki na grządce. Były coraz większe.

Aż raz powiedziała Róża:

– Dziś będziemy jedli własną rzodkiewkę i własną sałatę.

Króliczek aż stulił uszy z radości. Rzodkiewki były piękne jak różyczki, a sałata miała kruche, bladozielone liście.

– To twoja, Misiu, zasługa. Tak pięknie skopałeś grządki – powiedział Bimbambom.

– I twoja, Pajacyku, bo tak starannie je wyrównałeś.

– I laleczek, które siały – dodał Pajacyk.

– A moja, a moja?... – dopraszał się pochwały Pluszowy Króliczek.

I ja też urosnę!

W nocy padał deszcz.

– Spójrz, Uszatku – powiedziała Zosia – jak wszystko wyrosło po deszczu. Rzodkiewka na grządce, trawy i chwasty...

Uszatek przyglądał się trawkom, dziwił się i kręcił głową.

A potem fikał na trawie koziołki. Nie zauważył, jak nadpłynęła chmura i zakryła słońce. Dopiero gdy lunął rzęsisty deszcz, Uszatek zerwał się na równe nogi i chciał biec do domu.

Ale pomyślał: „Pada deszcz, znów wszystko będzie rosnąć. To i ja urosnę po deszczu. Postoję na dworze. Chciałbym być taki jak Duży Niedźwiedź z lasu...".

Stanął niedźwiadek na środku trawnika.

– Rech, rech, rech... – usłyszał koło siebie.

„To zielona żabka – pomyślał. – Ona chce też urosnąć..."

Majowy deszcz trwa krótko.

Błysnęło słońce, zaświergotały ptaki, zalśniły na liściach srebrne kropelki.

Miś stanął na czubkach łapek i zawołał:

– Zosiu, Zosiu, ja urosłem!

– Rech, rech, rech! – zaśmiała się żabka. – Jaki ty jesteś śmieszny, Misiu! Wcale nie urosłeś, za to strasznie zmokłeś...

Bałwanek jabłonkowy

– Spadł śnieg! – zawołała lala Róża.

– Co? – zdziwił się Uszatek. – Śnieg w maju? To niemożliwe.

– A spójrz na drzewa. Całe są białe.

Wybiegł Miś do sadu, a za Misiem Róża, Pajacyk Bimbambom i Pluszowy Króliczek.

Wszystkie jabłonki w sadzie okryte były białym puchem. Miś pociągnął noskiem.

– Jak tu ślicznie pachnie!

– To pachnący śnieg! – pisnął Króliczek.

– I ciepły – powiedział Pajacyk, dotykając białej gałązki.

Powiał wiatr. Zaroiło się od białych płatków.

– Majowy śnieg pada na ziemię – szepnął Uszatek.

A płatki z kwitnących jabłoni spadały na głowy i na ramiona przyjaciół.

– Tyle śniegu nasypało mi się za kołnierz – śmiał się Pajacyk – a wcale nie mrozi.

Naraz Króliczek zawołał:

– Spójrzcie, bałwanek śniegowy!

A to stał Miś Uszatek, obsypany od stóp do głów białymi płatkami kwiatów jabłoni.

– To jest bałwanek jabłonkowy – poprawił Króliczka Pajacyk.

Czy jabłonka umie mówić?

Był słoneczny poranek. Wyszedł Miś Uszatek na spacer.

W sadzie kwitły jabłonie. Stanął Miś przed jabłonką. Na jabłonce mieszkał szpaczek. Wyjrzał z budki.

– Dzień dobry, Misiu Uszatku! – zaświergotał.

Domek szpaczka był ukryty wśród kwitnących gałęzi i Miś nie dojrzał ptaka.

„Kto mnie tak wita? – pomyślał zdumiony. – Czyżby jabłonka umiała mówić?"

– Dzień dobry... jabłonko! – powiedział.

Szpaczek nie słyszał już odpowiedzi Misia, bo poleciał w pole.

A Miś prędko wrócił do domu. Zobaczył Pluszowego Króliczka.

– Króliczku – zawołał – jabłonka nauczyła się mówić!

Teraz obaj pobiegli do sadu. Stanęli przed jabłonką. Ukłonili się grzecznie, aż do samej ziemi, i zawołali:

– Dzień dobry, jabłonko!

Ale jabłonka nic nie powiedziała. Szumiała tylko: – szu... szu... szu... Potem jeszcze kilka razy Miś zawołał „dzień dobry!".

I zawsze odpowiadał mu tylko szum jabłonki.

– Już pewnie jabłonka zapomniała mówić – zmartwił się niedźwiadek.

Wrócił z pola szpaczek, usiadł na trawie. Zobaczył Misia i Króliczka.

– Komu wy się tak kłaniacie? – zapytał.

– Jabłonce – odpowiedział Miś – bo powiedziała mi „dzień dobry". Ale już zapomniała mówić.

Pokiwał szpaczek głową.

– Już tak dawno mieszkam na jabłonce i nigdy mi nie powiedziała „dzień dobry"...

Siwek u kowala

– Uszatku!

– Kto mnie woła? – zdziwił się niedźwiadek.

– To ja, Siwek...

– A co chcesz, koniku?

– Wszyscy o mnie zapomnieli, laleczki, Pajacyk, Pluszowy Króliczek. Biegają po dworze, bawią się, a ja stoję w kącie!

– Żal mi ciebie, koniku. Pójdziesz ze mną na spacer. Tylko jak? Przecież stoisz na biegunach?

– Ja mogę zejść z biegunów i biegać z tobą. Tylko trzeba, żeby kowal mnie podkuł.

Zszedł Siwek z biegunów. Miś wziął go za uzdę i zaprowadził do kowala.

– Kowalu, podkuj Siwka – poprosił.

Miś podnosił nogi Siwka po kolei. Kowal przybił konikowi cztery nowe podkówki.

– A teraz siądź na mnie, Misiu – powiedział Siwek.

Pocwałował Miś na Siwku do swoich przyjaciół. Tam zaprzągł niedźwiadek konika do wózka. Pajacyk Bimbambom i Pluszowy Króliczek wsiedli do wózka.

– Jedziemy na wycieczkę do lasu! – zawołał Uszatek.

Jedziemy na wycieczkę

Pędził Siwek środkiem polnej drogi. Za Siwkiem toczył się wózek. Na wózku siedział Uszatek, Pajacyk Bimbambom i Pluszowy Króliczek.

Naraz Siwek przystanął.

– Co się stało? – zdziwili się podróżnicy.

– Spójrzcie – parsknął konik. – Tam w rowie coś się porusza.

Wszyscy zeskoczyli z wózka.

W rowie siedział mały, przestraszony zajączek. Drżał na całym ciele i popłakiwał cichutko. Miś schylił się nad zajączkiem.

– Dlaczego płaczesz, zajączku?

– Zgubiłem mamusię – szlochał zajączek.

Miś podrapał się w opuszczone uszko.

Pajacyk powiedział:

– Siadaj z nami, zajączku! Pomożemy ci szukać mamy.

Siadł zajączek obok Pluszowego Króliczka. Króliczek objął go łapką i pocieszał, jak umiał.

Zajączek otarł łzy i uśmiechnął się.

Ujechali kawał drogi. Koło polnej gruszy spotkali mamę zajączka.

Zajączek był tak zajęty rozmową z Króliczkiem, że nawet nie zauważył swojej własnej mamy.

– Może widziałeś mojego synka? – spytała Misia zmartwiona zajączkowa mama.

– A jak twój synek wygląda?

– Ma długie uszy, mały, puszysty ogonek i jest bardzo miły.

– Czy to może ten, co rozmawia z Pluszowym Króliczkiem?

– Tak, tak!

Ach, jak się cieszyli oboje – mama i synek! Tylko Pluszowy Króliczek martwił się, że musi się rozstać z przyjacielem.

– To nic – pocieszał się – zobaczymy się znów, gdy w naszym ogródku dojrzeje kapusta.

Tajemniczy głos

W lesie była duża polana. Rosła tam wysoka trawa i kwiaty. Nad polaną szumiały drzewa.

Miś uwiązał Siwka przy drzewie.

– Odpoczniemy tu – powiedział.

– Kuku! – rozległ się głos.

Miś podrapał się w opuszczone uszko.

– Kto to powiedział „kuku"?

Pajacyk Bimbambom i Pluszowy Króliczek pokręcili głowami.

– To nie my!

– Kuku, kuku!... – znów odezwał się głos.

– Ktoś chce się z nami zabawić w chowanego – pisnął Króliczek. – Poszukajmy go!

Wszyscy zaczęli szukać. Pluszowy Króliczek dał nurka w trawy. Bimbambom zadarł głowę do góry. A Miś Uszatek przetrząsnął najbliższe krzaki.

Tajemniczy głos ciągle wołał:

– Kuku, kuku, kuku!...

Po chwili cała trójka znów spotkała się na polanie. Miś trzymał w łapce ślimaka.

– Znalazłem go! – zawołał. – To on mówi „kuku"...

– Nie, to na pewno nie on – zaprotestował Bimbambom i pokazał przyjaciołom biedronkę.

– A ja wam mówię, że „kuku" mówiła liszka – pisnął Króliczek. – O, właśnie ta!

Wszyscy pokazywali to, co znaleźli: ślimaka, biedronkę i liszkę.

Ślimak wysunął rożki, biedronka trzepotała skrzydełkami, a liszka podniosła łebek. Ale żadne z nich nic nie powiedziało. Naraz zaszumiały skrzydła.

Na gałązce siadł piękny, duży ptak i zawołał wesoło:

– Kuku, kuku, kuku! Jestem kukułka. Witam was!

Ziemia się rusza

Miś, Pajacyk Bimbambom i Pluszowy Króliczek odpoczywali w cieniu na trawie. W górze cicho szumiały drzewa. Naraz Miś zawołał:

– Ziemia się rusza!

Wszyscy zerwali się na równe nogi.

Króliczek przycupnął cicho w trawie, a Bimbambom skrył się za krzakiem jałowca. Tylko Uszatek stał w miejscu. Tak się przestraszył, że nie mógł zrobić kroku naprzód. Na środku polanki poruszyły się najpierw trawy. Potem zaczęły na nie spadać grudki ziemi. W oczach przestraszonych przyjaciół rósł czarny kopczyk.

– Uciekajmy... – szepnął Pajacyk.

– Zobaczmy lepiej, co będzie dalej – pisnął z ukrycia Pluszowy Króliczek.

Naraz ziemia rozchyliła się. Z kopczyka wyszło zwierzątko w czarnym, błyszczącym futerku. Zwierzątko to miało małe, przymrużone oczka. W łapkach trzymało latarkę. Zobaczyło Uszatka i powiedziało bardzo uprzejmym głosem:

– Jestem kret. Bądź łaskaw, zgaś mi latarkę.

Wtedy wybiegł z ukrycia Króliczek, a potem Pajacyk Bimbambom.

Wszyscy otoczyli kreta. Dotykali czarnego futerka i przyglądali się latarce.

– Szkoda – powiedział kret – że nie mogę wam pokazać moich korytarzy pod ziemią. Są bardzo wąskie i nie zmieściłby się tam żaden z was.

A na koniec powiedział:

– I przepraszam was, że napędziłem wam tyle strachu.

Jak Miś został doktorem

Przyjaciele odpoczywali w cieniu wysokiego drzewa. Pajacyk Bimbambom oparł się o pień i zmrużył oczy. Uszatek wyciągnął się w trawie i patrzył na chmurki. A Siwek skubał smaczne zioła.

Wtem na polanę wbiegł Pluszowy Króliczek.

– Lis zachorował! – krzyknął.

– Jaki lis? Dlaczego zachorował? – zawołali przyjaciele.

Króliczek odsapnął i powiedział:

– Biegłem właśnie do was. Niedaleko stąd, na polance, widziałem małego liska. Kręcił się w kółko za własnym ogonem. Jest na pewno chory.

Wszyscy zaraz pobiegli za Króliczkiem.

Na polance dreptał lisek. Miał piękny, czerwony ogon, który wyglądał z daleka jak płomień.

– Co ci jest, lisku? – zapytał Uszatek.

Lisek tylko coś mruknął niezrozumiale i dalej kręcił się w kółko.

– Już wiem – szepnął Miś. – Do lisiego ogona uczepił się rzep...

Podbiegł Uszatek do liska i odczepił rzep z ogona.

Lisek przestał się kręcić w kółko i powiedział:

– Dziękuję panu, panie doktorze!

Wszyscy spojrzeli z podziwem na Misia. A potem długo rozmawiali z liskiem i chwalili jego piękny ogon.

Mrowisko

– Spójrzcie, jak mrówki ciężko pracują – powiedział Pajacyk Bimbambom do przyjaciół.

Wszyscy pochylili się nad dróżką. Wędrowały po niej równym sznureczkiem duże mrówki. Szły do mrowiska. Prawie każda

mrówka wlokła sosnową igłę. Igły były im potrzebne do budowy mrowiska.

– Ojej, jak ciężko pracują! – westchnął Pluszowy Króliczek. – Taki kawał drogi muszą wlec ciężkie igły.

– Pomożemy mrówkom – powiedział Miś.

– Ale jak? – zapytali przyjaciele.

Miś na to nic nie odpowiedział, tylko kazał wszystkim prędko wsiąść do wózka, wziął w łapki lejce i zawołał:

– Jazda!

Wózek zatrzymał się przed sosną. Ziemia tu była usłana igłami.

– A teraz nasypiemy do wózka igieł.

Kiedy wózek był już napełniony igłami, przyjaciele podjechali do mrowiska. Wysypali igły tuż przy nim. Miś zawołał:

– Mrówki! Nie potrzebujecie już dźwigać igieł z daleka. Przywieźliśmy je wam pod samo mrowisko.

Spotkanie z Anią

Wybrała się Ania do lasu na grzyby. Chodziła, chodziła po lesie. Nic nie uzbierała. Nóżki zabolały Anię od chodzenia. Usiadła pod drzewem i myśli:

„Nie dojdę chyba do domu. Ach, gdyby ktoś mnie podwiózł!...".

Ledwie tak pomyślała – zaterkotał wózek. Wbiegł na polankę Siwek. Na wózku siedziała cała trójka przyjaciół. Wszyscy byli weseli, wszyscy śpiewali głośno:

Jadą, jadą dzieci drogą,
siostrzyczka i brat.
I nadziwić się nie mogą,
jaki piękny świat!

Naraz przyjaciele zobaczyli Anię.

– Stój, Siwku! – zawołał Uszatek. Ach, jakie serdeczne było powitanie! Ile sobie wszyscy mieli do opowiedzenia!

A kiedy już sobie o wszystkim opowiedzieli, Króliczek zajrzał do koszyka.

– Pusty... – zasmucił się.

– Pomożemy Ani znaleźć grzyby! – zawołał Uszatek.

Miś i Króliczek myszkują po krzakach. Tylko Pajacyk nie szuka grzybów. Boi się, że mu gałęzie strącą czapkę...

„Muszę znaleźć grzyby dla Ani. Muszę znaleźć grzyby dla Ani..." – powtarza w myślach Uszatek. A potem ułożył taki wierszyk:

Grzybki, grzybki,
znaleźć was muszę.
Pokażcie swoje
kapelusze!

Króliczek zabrnął daleko w krzaki.

I naraz rozległ się jego głos:

– Mam, mam! Raz, dwa, trzy, cztery...

Ania i Miś pobiegli w kierunku głosu. Na skraju polanki stał uradowany Króliczek.

– Spójrzcie! – zawołał z dumą.

W cieniu drzew rosły cztery prześliczne muchomory. Miały ogromne, czerwone, biało nakrapiane kapelusze.

– Tych grzybków nie zerwiemy – powiedziała Ania – bo są trujące. Popatrzymy sobie tylko na nie.

– Trujące... – zmartwił się Króliczek.

A potem dodał na pociechę:

– Ale ładne, prawda?

Autostop

Siwek pędził środkiem drogi. Cieszył się konik, że już wraca do domu.

Terkotały koła wózka. Przyjaciele opowiadali Ani o tym, co się im przydarzyło w czasie wakacji.

W miejscu, gdzie się drogi krzyżowały, stał na dwóch łapach Duży Pies. Na ramionach miał dobrze wypchany plecak. W łapie trzymał kartkę z napisem: Autostop!

Siwek przystanął.

– Dzień dobry! – powiedział pies. – Podróżuję autostopem, to znaczy, zatrzymuję po drodze spotkane pojazdy, które jadą w tę stronę, gdzie ja wędruję. Czy mogę skorzystać z waszej uprzejmości? Czy możecie mnie podwieźć?

– Bardzo proszę – powiedział Uszatek.

Wszyscy zrobili miejsce dla wędrowca. I Duży Pies wsiadł do wózka.

Nie żałowali przyjaciele tego spotkania.

Duży Pies opowiedział im w drodze wiele ciekawych przygód.

Najciekawsza przygoda Dużego Psa

Duży Pies opowiadał swoją najciekawszą przygodę:

– Było to na wiosnę. Śniegi stopniały i zrobiła się powódź. Rzeka zalała łąkę. Na środku rzeki utworzyła się wyspa. Wyspa robiła się coraz mniejsza – zalewała ją woda. Wtem zobaczyłem na wyspie zajączka.

– To pewnie był ten zajączek, którego spotkaliśmy w drodze!
– zawołał Pluszowy Króliczek.

– Nie przeszkadzaj, Króliczku – mruknął Miś.

Duży Pies ciągnął dalej swoją opowieść:

– Zajączek stawał słupka i dawał rozpaczliwe znaki. Zdawało mi się nawet, że słyszę jego głos: „Ratunku, zaraz wyspa utonie pod wodą!".

Nie namyślałem się ani przez chwilę. Skoczyłem do wody i podpłynąłem do wyspy. Zajączek siadł na moim grzbiecie. I tak na grzbiecie, jak na łódce, dopłynął do brzegu.

Kiedy spojrzeliśmy z bezpiecznego miejsca na środek łąki – wyspy już nie było. Zalała ją woda.

Duży Pies skończył opowieść. Wszyscy patrzyli na niego z podziwem. Ania pogładziła Dużego Psa po głowie. A Uszatek uścisnął mu łapę i powiedział:

– Duży Psie, ty jesteś prawdziwym bohaterem!

Spis treści

Wydawnictwo
NASZA KSIĘGARNIA
www.naszaksiegarnia.pl

02-868 Warszawa, ul. Sarabandy 24 c
tel. 022 643 93 89, 022 331 91 49, faks 022 643 70 28
e-mail: naszaksiegarnia@nk.com.pl

Dział Handlowy
tel. 022 331 91 55, tel./faks 022 643 64 42
Sprzedaż wysyłkowa: tel. 022 641 56 32
e-mail: sklep.wysylkowy@nk.com.pl   **www.nk.com.pl**

Redaktor techniczny, DTP **Agnieszka Czubaszek**
Korekta **Magdalena Korobkiewicz**, **Katarzyna Piętka**

ISBN 978-83-10-11560-7

PRINTED IN POLAND
Wydawnictwo „Nasza Księgarnia", Warszawa 2008 r.
Wydanie pierwsze
Druk: Zakład Poligraficzno-Wydawniczy POZKAL, Inowrocław